PARIS

LA SEINE

TEXTES DE SYLVIE GENEVOIX
PHOTOGRAPHIES DE FRANÇOIS BIBAL

Paris — La Seine

J'ai longtemps pensé que la Loire était le plus beau fleuve du monde. J'étais née sur ses rives, j'avais été bercée par son long cheminement calme entre les plaines du Val, par la caresse légère du vent dans les feuilles de peupliers, j'avais découvert les beautés du monde à travers les mille et un miroitements de ses eaux alternativement bleues, vertes ou grises, où le ciel tout entier n'en finit plus de se refléter. Je me savais fille de Loire, à tout jamais.

J'avais sept ans quand l'étrange sagesse des adultes décida qu'il n'y avait de vie sociale qu'à Paris et qu'il me fallait, pour mon bonheur comme pour mon avenir, aller enfin à l'école. De l'école à la ville je ne savais pas grand-chose, sinon des on-dit plutôt fâcheux, et je redoutais le pire. On me raisonna, on me consola, et la famille entière se transporta donc près des jardins du Luxembourg, où tout le monde sembla trouver ses aises, hormis le chat, et moi. Pour nous deux, le monde ne tournait plus rond. Nous ne voyions plus les arbres qu'au travers des fenêtres, les oiseaux ne chantaient plus, les voitures klaxonnaient trop, et la Loire, immense et lumineuse, avait cédé la place à la sombre fontaine Médicis ou au bassin rond du Luxembourg, où des enfants qui ne ressemblaient pas aux petits paysans du Val venaient faire sombrer des bateaux qui n'avaient jamais su naviguer. Les fins de semaine, c'était à nouveau la Loire, l'échappée vers la vie et la liberté. Le chat, plus avisé que moi, décida très vite de prendre le maquis, en disparaissant dans l'épaisseur du sous-bois dès qu'il percevait la moindre velléité de départ. Le cœur lourd et la conscience mauvaise, on crut l'abandonner alors qu'on lui rendait la joie de vivre : il nous le prouva en réapparaissant, tout au long de sa vie de chat, l'œil plus vert et le poil d'un noir encore plus luisant, chaque fois qu'il sentait notre présence. Les humains sont moins malins que les chats, et moi, entre le lycée et le Luxembourg, je m'ennuyais... jusqu'au jour où on déménagea, pour aller vivre sur les bords de la Seine, entre le Pont-Royal et le Pont-Neuf, là où Paris justifie pleinement sa réputation de plus belle ville du monde. En quelques jours, en regardant couler la Seine, s'allumer les réverbères du pont-des-Arts et s'animer les échoppes vertes des bouquinistes, je me suis sentie Parisienne sans savoir que Sacha Guitry, qui était né

bien au-delà des bords de la Loire, à Saint-Pétersbourg, avait pensé la même chose :
"Etre Parisien, ce n'est pas être né à Paris, c'est y renaître."

Est-il beaucoup de Parisiens qui n'aiment pas leur ville ?
Je ne le crois pas, car elle est magicienne et ensorceleuse, changeante et immuable en dépit des siècles, des guerres et des erreurs des hommes, secrète et majestueuse, crapuleuse et en même temps sublime, hétéroclite et unique, tout au long de ce chemin d'eaux profondes qui la traverse de part en part, porteur de souvenirs, de drames et de miracles, porteur aussi de nos rêves, de nos aspirations et de nos angoisses.

Paris sans la Seine ne serait qu'une ville comme beaucoup d'autres, et n'aurait jamais fait naître ce philtre d'amour auquel personne n'échappe, et qui a fait dire à Jules Renard : "Ajoutez deux lettres à Paris : c'est le Paradis."

Entre Paris et moi, le fleuve a été le meilleur des intercesseurs : je retrouvais les étendues d'eau de mon enfance, je flânais sur ses rives, je m'émerveillais, je rêvais, au point d'en oublier le lycée, ou plus tard la Sorbonne. Récemment, Julien Green aurait pu m'ôter des remords que je n'ai jamais eus : "Paris ne se livre guère aux gens pressés, il appartient aux rêveurs" de même que Verlaine écrivait :

"Qu'il fait bon aux rêveurs descendre de leurs bouges,
Et, s'accoudant au pont de la Cité, devant
Notre-Dame, songer, cœur et cheveux au vent."

De l'œil j'ai suivi les lourdes péniches et leur sillage miroitant dans le soleil couchant, j'ai embarqué sur les bateaux-mouches, scintillants de lumière et tonitruants en toutes langues pour promener des escouades de touristes émerveillés, avec les cousins de province ou les annuelles jeunes filles au-pair, j'ai "fait" la tour Eiffel ou le Trocadéro, l'île de la Cité ou Notre-Dame. Avec, à chaque fois, la même ivresse et des plaisirs sans cesse renouvelés, faits de sensations presque contradictoires, d'affrontements entre le jour et la nuit, entre le printemps et l'hiver. Comme la femme aimée de Verlaine, Paris n'est jamais "ni tout à fait une autre, ni tout à fait la même". C'est sensuellement qu'il faut l'aimer, sentir son odeur, tendre l'oreille à son vacarme comme à ses murmures, plisser les yeux au miroitement de la

Seine, toucher, caresser les pierres de ses maisons comme je touchais les arbres de mon jardin d'enfance.

Paris, c'est la fascination qui surprend à chaque méandre de la Seine, à chaque pilier de pont et surtout à chaque retrouvaille. "Comment cela peut-il être si beau ?" se dit-on immanquablement, presque amoureusement, chaque fois qu'on revient d'un ailleurs, même enchanteur. Et chaque fois on se persuade, avec la même conviction profonde qui faisait dire à Villon qu'il n'est "bon bec que Paris", qu'il n'est de vie possible que là. Parce que c'est là qu'on peut à loisir rêver d'une vie aussi vivante qu'enivrante. Au risque d'y perdre ses dernières illusions.

Car Paris unique est aussi multiple que les mille et une expressions d'un beau visage humain. Chacun porte en soi un Paris selon son cœur, le Paris de son enfance, de son adolescence ou de son premier amour, de ses premiers triomphes ou de ses échecs oubliés, de ses nostalgies ou de ses rêves les plus fous. Edmond de Goncourt a peut-être eu raison de dire : "Je n'aime pas ce qui est." En tout cas on le comprend, car c'est là encore une belle façon d'aimer Paris : le rêver, comme d'un trésor qui n'appartient ni à soi ni à personne, et qui en est irremplaçable. Personne n'a jamais pu décrire Paris hormis, sans doute, les scientifiques, géomètres, architectes ou urbanistes, autrement qu'avec ses émotions et ses fantasmes, ses pudeurs et ses élans. Et pourtant Paris ou ce qui en porte la marque, est reconnaissable partout au monde. Comme quelque chose d'indéfinissable et d'évident, une façon de marcher, de respirer ou de chanter, un je-ne-sais-quoi qui a inspiré les poètes autant que les goualeuses et qui fait dire, sans hésitation : "Ça, c'est Paris." Une vieille reliure chez le bouquiniste, les volières du quai aux Fleurs, les amoureux de l'île de la Cité, les pigeons sous les marronniers ou les clochards sous le pont-des-Arts, c'est Paris. A tout jamais et depuis toujours. Depuis que les Romains transformèrent un petit village de pêcheurs sur les berges marécageuses en une cité florissante qu'on appela Lutèce, un nom que les méchants traduisaient par "île aux rats" ou "île aux corbeaux", mais que le jovial Rabelais fit venir du grec leukos (blanc) en hommage aux cuisses douces et pâles des beautés d'alors !

pure et claire de la Seine, Geneviève, la petite bergère du Mont-Valérien, sauve la ville du terrible Attila et Clovis y installe sa capitale : Paris sera à tout jamais le centre de la France et depuis lors, ses princes et ses rois n'ont eu de cesse de la cajoler, de l'embellir pour mieux se l'approprier. Chacun a posé sa pierre, quitte souvent, à en enlever une autre, tous ont contribué à en faire ce qu'il est et personne, jamais, n'a pu altérer le charme indéfinissable et absolu qui nous envahit au seul nom de Paris.

Si vous avez envie de le découvrir et (c'en est l'inévitable et délicieuse conséquence) d'en tomber amoureux, écoutez le conseil que nous vous donnons : la Seine est la plus belle, la plus fascinante des voies royales, dont les extraordinaires photographies de François Bibal nous font toucher de l'œil et du cœur toute la diversité. Exactement comme peuvent nous bouleverser un ciel d'hiver sur les quais enneigés par Vlaminck, un matin d'avril sur les eaux multicolores et douces de Pissaro, un crépuscule couleur de feu vu par Manet, par Monet, par l'un ou l'autre de ces peintres de génie envoûtés par les rives de la Seine.

Qui que vous soyiez, vous contemplerez ces images sans jamais vous lasser, vous plongerez dans ces eaux calmes sur papier glacé, où se reflètent les plus belles et les plus diverses constructions du génie humain, et sans doute vous vous tairez. Trop de beauté tue, dit-on des femmes. Trop de beauté rend muet, pourrait-on dire des villes, comme des œuvres d'art. Alors, grâce à François Bibal, laissez seulement vos yeux parler, et abandonnez-vous au double bonheur, aussi rare qu'il est intense, de contempler Paris et en même temps de le rêver.

La Seine, fleuve de lumières

Pendant longtemps, je n'ai pu photographier Paris. Il faisait trop partie de moi-même, comme de ces nombreux Parisiens qui ressentent leur ville confusément, sans jamais s'y arrêter vraiment. Il y a vingt-cinq ans, ma première commande photographique avait pour sujet Paris. Paralysé, je pris la fuite. Mais l'idée m'obsédait, la Seine m'attirait ainsi que la conviction que ses quais n'étaient pas seulement des scènes néo-réalistes pour pigeons et clochards : elle était le lien charnel qui unissait les moments les plus intenses et les lieux les plus émouvants de Paris.

Je revins vers elle. Pendant trois ans de ma vie, où j'ai vécu sur les quais de la Seine chaque lever et chaque coucher du soleil, je me suis senti propriétaire d'un château au bord du Rhin, d'une villa en Vénétie, d'une gentilhommière en campagne, d'une maison patricienne dans les brumes du Nord. J'ai vécu des siècles de la vie des hommes, depuis les hôtels du Moyen-Age jusqu'aux tours du Front de Seine.

J'ai vécu un Paris hors du temps et pourtant de demain. J'ai possédé toutes les merveilles, toutes les architectures, toutes les chimères d'une ville. La première photo fut l'île Saint-Louis, devenue par la magie de la lumière une grande bande d'or, entre la Seine noire et le ciel à la Turner. Elle m'imposa de continuer. Je devais en faire un livre. Les photos suivantes commencèrent toutes dans l'angoisse et s'achevèrent en ce petit moment miraculeux, cet instant fugitif où la lumière est enfin en harmonie avec la pierre et l'eau. Car la lumière du ciel, contrairement à celle que l'on recrée dans le studio du photographe ou sur la palette du peintre, ne se maîtrise pas. Elle vous est donnée ou refusée. Chaque fois, la lumière est venue magnifier la Seine qui n'était qu'une épure, m'offrant plus que des constats : des complicités intenses, gages que la photo serait bonne. Au cœur de la ville trop familière, la splendeur du fleuve se banalise, nous oublions que nous vivons dans un joyau. Faisons-nous en l'offre, patiemment, et avec recueillement.
Qu'il reste à chaque instant une fête pour ceux qui prennent, tout simplement, le temps de voir.

François Bibal

Le pont-viaduc de Bercy et la pyramide gazonnée du Palais Omnisport de Bercy, construit sur une partie de l'emplacement de l'ancienne Halle aux vins.

Le "tumulus" de Bercy et son plan d'eau. Le P.O.P.B., Palais Omnisport Paris-Bercy, construit par la Ville de Paris, abrite manifestations culturelles et sportives.

La Seine vers l'amont borde les nouveaux quartiers d'affaires entre la gare de Lyon et Bercy.

Quai de la Râpée, le Ministère de l'Economie et des Finances, des architectes Huidobro et Chemetov. Viaduc enjambant la rive, il s'intègre dans un ensemble englobant le Palais Omnisport de Bercy, au fond.

Les nouvelles constructions de la gare de Lyon, sur ce quai de la Râpée qui s'appela "chemin le long de la rivière", et fut rebaptisé à la fin du XVIIIe siècle, d'après une maison qui appartenait en 1550 au sieur de la Râpée.

Au carrefour du quai Saint-Bernard et du boulevard Saint-Germain, l'Institut du Monde arabe, création des architectes Nouvel, Soria et Lezenes, qui comporte un musée et une bibliothèque.

Paris, extérieur nuit... depuis le pont de la Tournelle, la rive gauche et ses éternelles lumières.

La rive gauche, au pont de la Tournelle. Au centre, le prestigieux restaurant de la Tour d'Argent, où Henri IV découvrit, paraît-il, l'usage de la fourchette, et sa vaste salle panoramique du dernier étage.

Depuis la terrasse de l'Institut du Monde arabe, le pont de la Tournelle et l'île Saint-Louis.

Le pont de la Tournelle se pose, de l'autre côté, sur l'île Saint-Louis. Séparés par la rue des Deux-Ponts, le quai d'Orléans, à gauche, et le quai de Béthune, à droite.

Le quai de la Tournelle, le pont de la Tournelle, la statue de Sainte Geneviève, et le quai de Béthune, en hommage à Maximilien de Béthune, duc de Sully, ministre de Henri IV.

A la fin de la Cité, le square de l'Ile-de-France abrite le Mémorial de la Déportation. En face, l'île Saint-Louis et le quai d'Orléans.

Le quai de la Tournelle a conservé de grandes et belles demeures des XVIIe et XVIIIe siècles. Ici, l'ancien hôtel "du ci-devant de Nesmond".

A la pointe de la Cité, les deux bras se réunissent pour découvrir la majesté du quai d'Orléans.

Joyau du quai d'Anjou, l'hôtel Lambert, construit en 1640 pour le président Lambert de Thorigny par Le Vau, décoré par Le Sueur et Le Brun. A droite, le pont Marie.

AU FRANC PINOT
RESTAURANT

Bordant l'île de la Cité, le quai aux Fleurs. C'est entre ce flanc nord de la cathédrale et le quai, que s'étendait au Moyen-Age le cloître des chanoines.

La grande boucle de la Seine, au pont Sully, caresse l'île Saint-Louis à gauche, et poursuit sa voie royale vers Saint-Gervais et l'Hôtel de Ville.

Le quai de l'Hôtel de Ville et ses maisons des XVIIe et XVIIIe siècles, l'église Saint-Gervais.

Notre-Dame

La flèche de Notre-Dame, c'est le cœur de Paris, le cœur de la France, et la blessure d'un bel amour qui traverse le cœur de tous les Français. Pour Paul Claudel — et pas seulement parce qu'il avait trouvé la foi derrière un de ses piliers — Notre-Dame était une "personne". Un être humain dont la séduction a mille et une facettes, qui en font une légende tout autant qu'un incroyable chef-d'œuvre élevé comme une prière fervente et tendre, comme un sublime acte de foi. Où que je sois, dans un désert d'Afrique, des montagnes enneigées ou des mers lointaines, il m'est arrivé, en songeant à ma ville, à ma famille ou à mes amis, de voir apparaître la silhouette de Notre-Dame, le cuivre verdi de ses toits, l'ombre chatoyante et mystérieuse de ses vitraux, ses gargouilles, ses dentelles et, toujours, son reflet immuable et changeant sur les eaux du fleuve qui l'embrasse... On peut aimer Notre-Dame avant même de la connaître, par toute la mythologie dont on la pare : Quasimodo pendu aux treize tonnes de son énorme bourdon, Esmeralda dansant pour son royaume des gueux, ou Nerval prédisant "Notre-Dame est bien vieille : on la verra peut-être enterrer cependant Paris qu'elle a vu naître". On peut rêver à son histoire qui fut une des plus nobles de France : Saint Louis y entrant pieds nus pour y ceindre la couronne d'épines avant de partir pour la Palestine, Philippe le Bel (autres temps, autres mœurs) y chevauchant à cheval et en armure, Henri IV y épousant la reine Margot et Napoléon III sa belle Espagnole, ou Napoléon Ier s'y faisant sacrer empereur puis baptiser son fils devant des riches tentures masquant les ravages de la Révolution ; ou encore, Notre-Dame en liesse pour célébrer la Libération de Paris et vingt-cinq ans plus tard, en deuil pour enterrer De Gaulle.

Des heures lugubres, son histoire en connut plus d'une, depuis que Maurice de Sully, évêque de Paris, décida de vouer à la Vierge son édification somptueuse, au cœur de la Cité, et malgré l'avis de Saint Bernard, qui voulait le culte plus modeste.

En 1163, le pape Alexandre III en posa la première pierre, et les travaux s'achevèrent cent soixante-dix ans plus tard. Louis XIV lui fit subir de mauvais traitements, la Révolution la pilla et la profana, avant que Louis-Philippe n'en confie à Viollet-le-Duc (qui fit là sa plus belle œuvre), sa restauration.

Le portail Saint-Etienne, commencé en 1258 par Jean de Chelles et terminé par Pierre de Montreuil.

Enchâssée dans l'île de la Cité, Notre-Dame, qu'encadrent le Panthéon et l'église Saint-Sulpice

La façade de Notre-Dame, dont la construction commença au milieu du XIIe siècle

Sous le chevet de Notre-Dame, passent les lourdes barges qui ont fait de Paris le premier port fluvial de France.

Aimer Notre-Dame, avec ces frissons de bonheur qui étreignent comme devant l'inconcevable heureux, il y a mille et une façons de le faire. On peut flâner dans les rues qui l'entourent, sur les quais qui la bordent, rêver au temps jadis, quand les voitures étaient à cheval, les rues boueuses et la Seine royaume des bateliers. On peut grimper les trois-cent quatre-vingt sept marches de l'une des deux tours jumelles (qui ne le sont que d'apparence), arriver en haut le souffle un peu court, les jambes un peu tremblantes, et en être payé au centuple en découvrant l'immense manteau de Paris déployé sous nos yeux, comme une cape somptueusement brodée qui nous envelopperait tout entier. On peut aussi en faire le tour, s'arrêter devant l'immense parvis et les trois portes monumentales qu'il n'y a pas si longtemps on franchissait à cheval : celles de la Vierge et de Sainte Anne avec, au centre, celle du Jugement Dernier ; on peut entrer s'agenouiller sur l'un des neuf mille prie-Dieu, on peut rêver de s'y marier ou seulement s'y recueillir, on peut y rencontrer la foi ou la beauté absolue, on peut, d'où qu'on soit, se sentir chez soi. On peut flâner dans son square, lever les yeux vers ses vitraux ou ses tours, se pencher vers le Mémorial de la Déportation, émouvant de simplicité et de modernisme, sur lequel semblent veiller les gargouilles de Viollet-le-Duc, étonnant et monstrueux bestiaire ; on peut tout simplement se taire et admirer...

Notre-Dame, berceau de Paris, garant de deux mille ans d'histoire de la Cité, c'est une halte qui mériterait de durer des siècles et qui durera sans doute l'éternité, dans le cœur des hommes et en tout cas dans celui des poètes.

La boucle du quai aux Fleurs, entre le pont Saint-Louis et le pont d'Arcole.

On la connaît moins, c'est pourtant sa façade sur le fleuve qui relie le mieux l'Hôtel de Ville de Paris à sa devise "Fluctuat nec mergitur."

L'Hôtel de Ville

Aux siècles derniers, les architectes se battaient déjà pour construire — ou reconstruire — Paris. Quand il s'est agi de l'Hôtel de Ville, détruit par la Commune, Ballu et Deperthes furent choisis, après des délibérations houleuses, sans doute parce qu'ils respectaient la façade Renaissance de l'ancien palais municipal, élevé par le fameux Boccador, l'architecte de François Ier. Dix ans durant, un immense chantier employa des centaines de tailleurs de pierres, de sculpteurs, de fondeurs et d'ébénistes pour refaire, apparemment à l'identique, la maison du peuple de Paris.

Une maison qui, depuis le XIVe siècle, abrite "le Corps de ville" (l'ancêtre de notre Conseil municipal), protège les libertés des Parisiens et se fait le témoin de la justice rendue comme des grands moments de notre histoire. Car notre Hôtel de Ville, les siècles en témoignent, fut aimé des rois et des empereurs tout autant que de la République. En 1357, il ne s'appelait encore que "la maison aux piliers", quand Etienne Marcel acheta cette ancienne demeure d'un chanoine de Notre-Dame. Elle ouvrait sur les mêmes bords de la Seine, par-delà ce qui était alors la fameuse place de Grève où se réunissaient chômeurs et oisifs pour, déjà, "faire la grève".
C'est là aussi qu'on fêtait la Saint-Jean avec des feux de joie souvent cruels, là aussi qu'on pendait, décapitait, écartelait, brûlait ou rouait pour donner à la foule le spectacle des châtiments mérités. Le gentil peuple de Paris loua très cher les fenêtres des maisons alentours pour applaudir au supplice de Ravaillac, au bûcher de la Brainvilliers ou de la Voisin, à l'écartèlement de Damiens. Depuis des siècles, il n'est guère de grands évènements auxquels ne participe l'Hôtel de Ville : c'est dans ses murs que le 17 juillet 1789, Louis XVI juxtaposa au drapeau blanc les couleurs de la Ville de Paris, le rouge et le bleu : involontairement, il avait fait naître le drapeau tricolore. C'est là que commença la Terreur, que s'instaura la Monarchie de Juillet. C'est là qu'on fêta le mariage de Napoléon III et d'Eugénie, qu'on baptisa le Prince Impérial, là enfin que De Gaulle salua la Libération de Paris, le 25 août 1944.
Imposant, majestueux, et pourtant familier, grâce à ses figures de pierre qui montent la garde sur sa façade, ce "palais de Paris" semble donner à la Seine elle-même une allure seigneuriale. Sous ses fenêtres, elle coule posément, largement, comme en mère nourricière. C'est peut-être qu'elle a conscience d'avoir donné à la Ville de Paris sa devise, qui ne la quitte plus : "Fluctuat nec mergitur."

Ballu et Deperthes ont reconstruit l'Hôtel de Ville de 1874 à 1882. Le parvis a été aménagé pour fêter le centenaire de cette reconstruction.

toits mauves se voient de tout Paris. De siècle en siècle, les Parisiens ont o

82 83
les
bas-fonds
LE MISTRAL

Le pont Notre-Dame et l'hôpital de l'Hôtel-Dieu, construit en 1880.

Dans l'ombre du pont-Neuf, les dômes jumeaux du Châtelet et du théâtre de la Ville, l'Hôtel de Ville et l'église Saint-Gervais.

D'un pont à l'autre, Paris sera toujours Lutèce... qui signifie "habitation au milieu des eaux", en celtique.

Le pont au Change et la Conciergerie. Construite au XIVe siècle par Philippe le Bel pour l'ancien Palais Royal, elle devint prison tristement célèbre durant la Terreur. Tour de l'Horloge, tour de César, tour d'Argent et tour Bonbec.

L'église Saint-Germain-l'Auxerrois, construite à partir du XIIe siècle, était la paroisse des rois de France. Dans le même esprit furent construites, au XIXe siècle, la mairie du Ier arrondissement à gauche, et la tour, par Ballu.

La façade du Palais de Justice, et le double escalier de Duc, furent construits au XIXe siècle, lors de la restauration et des aménagements de l'ancien Parlement.

Face à la Seine, la fontaine Saint-Michel, haut lieu de rendez-vous estudiantins, édifiée par Davioud, sous le règne de Napoléon III.

Le quai des Grands-Augustins, le plus ancien de Paris, construit en 1313 par Philippe le Bel. A droite, le restaurant Lapérouse, en l'hôtel particulier du XVIIe siècle.

Vieilles maisons du quai des Orfèvres

Le pont-Neuf, le plus ancien pont de Paris, construit en 1578 par Androuet du Cerceau, et les pavillons jumeaux de la place Dauphine, 1608.

A la pointe de l'île de la Cité, le square du Vert Galant doit son nom à la réputation du roi Henri IV

Statue équestre de Henri IV, érigée sous la Restauration, fondue dans un des bronzes de la colonne Vendôme.

Illuminations et fêtes d'été sur le pont-Neuf. A gauche le square du Vert-Galant, l'hôtel des Monnaies, puis l'Institut de France et la tour Eiffel.

La sobre façade classique de l'hôtel des Monnaies abrite le musée Monétaire, et la frappe des médailles et des décorations.

HYDRASEINE PONT-NEUF
P 15148 F

L'hôtel des Monnaies, édifié à la demande de Louis XV par l'architecte Antoine, de 1768 à 1775.

L'Institut

Face au Louvre, relié à lui par le délicieux pont-des-Arts, il en est l'harmonieux, l'élégant, le merveilleux reflet. Avec plus de charme et beaucoup moins d'austérité. Les Parisiens et les pigeons aiment bien l'Institut, les bouquinistes qui lui font face, la Seine qui le berce, et derrière le bruit des quais, les petites rues qui y mènent, bourrées de galeries, de bistrots et de gaieté.

En général, on lui donne des noms divers : l'Institut de France, d'abord, mais aussi le palais Mazarin, la Coupole, ou tout simplement "l'Académie". On sait que c'est là le siège des cinq Académies qui composent l'Institut de France, mais la seule qu'on connaisse vraiment, et qui impressionne, c'est "la française". Ce qu'on ne sait plus très bien, c'est comment ces quarante "Immortels" en habit vert brodé d'argent (une initiative du Premier Consul qui mit lui-même la main au dessin de Houdon) sont venus là, ni comment leur dictionnaire introuvable continue de faire, partout, incontestable autorité. A l'origine, les lieux n'étaient guère recommandables : la bibliothèque Mazarine, qui cache derrière ses hautes fenêtres des trésors de livres anciens, a pris la place de la célèbre et sinistre tour de Nesle où, dit-on, une reine du temps de Philippe le Bel faisait jeter à la Seine des sacs volumineux qui cachaient les corps encore vifs de ses amants en disgrâce.

Ce qui n'empêcha pas François Villon de la pleurer dans "La Ballade des Dames du Temps jadis" :

"Où est la Rayne
"qui commanda que Buridan
"Fût jeté en un sac en Seine ?
"Mais où sont les neiges d'antan ?"

C'est Mazarin, l'habile ami des lettres et des arts, qui confia à Le Vau le soin de faire bâtir son palais qu'il appela Collège des Quatre-Nations, et qui fut achevé en 1688. Et c'est en 1635 que son prédécesseur, Richelieu, qui lui aussi se piquait de littérature, avait créé, par lettres patentes de Louis XIII, l'Académie Française. Une assemblée de quarante membres chargés de veiller sur la langue française, et qui

onti et les pavillons carrés de l'Institut de France, encadrant la coupole de l'ancie
nt été réalisés par Le Vau.

s pierres dorées de la chapelle de l'Institut, initiallement collège pour soix

IVL. MAZARIN. S. R. E. CARD. BASILICAM. ET. GYMNAS. F. C. A. M. D. C. L. X. I

BIBLIOTHECA · A · FUNDATORE · MAZARINEA

a d'abord au Louvre avant de s'en faire chasser — et dissoudre — par la
ution. Bonaparte, le 25 octobre 1795, la fit renaître de ses cendres en créan
tut, qu'il installa dans le palais de Mazarin transformé, depuis la Terreur, en
n et magasin militaire.

A la Restauration, on transforma la célèbre coupole, en réalité une ancien
elle, en salle de séances et en 1816, Louis-Philippe rendit enfin à l'Académie
eurs et ses prérogatives.

Des tribulations qui ont peut-être contribué à rendre immortelle, inamovib
gieuse et indifférente aux moqueries dont on l'accable souvent, cette assem
osite et brillante qui est sur le point de faire paraître la neuvième édition de
re dictionnaire. Un dictionnaire qui promet dix mille mots nouveaux, en plus
-cinq mille de l'édition précédente.

Qui osera encore dire que l'Académie est une vieille dame ? Ni les passant
t le nez vers le dôme étincelant de la coupole, ni les bateaux-mouches qui
ent lentement, majestueusement, faire demi-tour à la pointe de l'île de la Ci
ouquinistes qui s'animent dès que le soleil montre le bout de son nez, ni le
me de Romy Schneider souriant à une fenêtre du quai Malaquais, ni même
aveugle du pont-des-Arts, égrenant inlassablement les mêmes notes sur son
de Barbarie.

Depuis la terrasse du pavillon de Flore, panorama de l'île de la Cité, depuis la Conciergerie, la flèche de la Sainte-Chapelle, Notre-Dame, le quai des Orfèvres jusqu'à la tour Jussieu, et la "vieille Dame du quai de Conti".

La passerelle des Arts, parallèle de dentelle au massif pont-Neuf

Le Louvre et la tour Eiffel sont sans doute, aux yeux du monde, les deux symboles éternels de Paris. Mais s'il en est un qui raconte pleinement son histoire, avec ses drames et ses riches heures, ses rois et ses révolutions, ses poètes et ses chefs-d'œuvre, c'est bien le Louvre. Immense, monumental, même interminable, apparemment homogène et incroyablement hétéroclite, il s'est fait en sept siècles et continue de se faire sans rien perdre de sa majesté. Et pourtant, il en a vu, et on lui en a fait voir... Receleur de trésors uniques au monde et porteur de légendes, il a toujours fasciné les puissants qui ont voulu, de tous temps et sous tous les régimes, lui imposer leur marque. Certains n'ont réussi qu'à faire sculpter leur monogramme sur sa façade, d'autres lui ont fait du bien, d'autres beaucoup de mal, et personne n'a pu l'abattre. Même pas la Commune, qui pourtant l'incendia et fit raser le château des Tuileries, aujourd'hui remplacé — si l'on peut dire — par les plantureuses et charmantes dames du sculpteur Maillol. D'abord féodal sous Philippe-Auguste, puis rapidement rasé, il devint royal sous François Ier qui, en 1540, en décida la grandiose construction, et le resta sous huit rois qui, chacun, voulurent apporter leur écot à sa somptueuse édification. Impérial sous les deux Napoléon, il est devenu républicain sans paraître s'en offusquer, en gardant même une unité parfois miraculeuse. Pierre Lescot, Jean Goujon, Philibert Delorme ou Claude Perrault, les plus grands noms de l'architecture et de la sculpture sont liés à son destin, et ses murs abritent des kilomètres de galeries où sont exposés bon nombre des plus grands chefs-d'œuvre du monde entier. Seul Louis XIV bouda le Louvre et, en lui préférant Versailles, lui fit vivre des années noires. Abandonné par la cour, envahi par une autre cour semblable à celle des miracles qui avait hanté Notre-Dame, le Louvre fut pillé, saccagé, envahi de petits commerces, d'ateliers divers ou de prostituées au point que Voltaire s'en indigna :

"Louvre, palais pompeux dont la France s'honore
"sois digne de Louis, ton maître et ton appui
"Sors de l'état honteux où l'univers t'abhorre."

Perspective depuis Notre-Dame sur les toits du palais du Louvre jusqu'aux tours de la Défense.

Dans la cour du Louvre, la pyramide de Peï qui sert d'entrée au musée, lui a donné une seconde jeunesse et fait affluer les visiteurs du monde entier.

Les guichets du Louvre, ouverts par Lefuel en 1852, dans la galerie du Bord de l'Eau, construite par Catherine de Médicis puis Henri IV pour relier le vieux Louvre aux Tuileries.

L'arc de triomphe du Carrousel, copie de l'arc de Septime Sévère, fut édifié en 1806 par Percier et Fontaine pour célébrer les victoires de Napoléon Ier.

La passerelle des Arts vers l'aval et le pont du Carrousel. A droite, le Louvre, le pavillon de Flore et les guichets. Au fond, le Grand Palais.

La colonnade du Louvre, commandée par Louis XIV à Claude Perrault, fut achevée en 1673. En 1682, le roi et la cour quittaient définitivement le palais du Louvre, pour Versailles.

Ce qui fut fait, non sans mal mais sans trop de dommages, et la mystérieuse Mona Lisa, peut-être épouse d'un médecin florentin, que Léonard de Vinci immortalisa et que François Ier acquit pour quatre mille écus, continue, avec son étrange sourire, d'attirer les foules du monde entier...

Les méchantes langues ont souvent prétendu que les Parisiens ne vont plus jamais au Louvre, qui n'est plus qu'un palais en désérence, le vestige d'un passé à tout jamais révolu. Certes non ! Il n'est que de voir le gigantesque projet du Grand-Louvre, la découverte récente, dans la cour Carrée, des fours de Bernard Palissy, le protégé de Catherine de Médicis qui lui commanda, au beau milieu des Tuileries, une grotte à l'italienne, ou les changements récents du musée des Arts Décoratifs, ou encore le nouveau musée de la Mode et surtout le concert diversement tonitruant soulevé par la fameuse pyramide de verre du plus habile Chinois de la diaspora, l'architecte Peï, pour savoir que le Louvre, derrière ses longues façades tournées vers la Seine, est bien vivant. A cause de Malraux, aujourd'hui à cause de Peï, le Louvre immuable, majestueux et silencieux a fait la une des journaux, s'est livré aux pioches des démolisseurs, pendant que les Tuileries s'encanaillaient sous la fête foraine... C'est la preuve qu'à Paris, le passé ne cesse jamais d'être vivant, voire tapageur, et que chacun s'en enchante, même s'il feint de s'en plaindre. Les amoureux de la Joconde ou de ses sœurs continueront d'arpenter la galerie du Bord de l'Eau, les flâneurs des Tuileries et les fanatiques de la cour Carrée continueront leurs promenades sentimentales entre la Concorde et Saint-Germain-l'Auxerrois, la jolie paroisse des rois de France, tandis que les adeptes de Monsieur Peï, ou les badauds avides d'une incongruité à dénigrer auront peut-être soudain l'envie d'aller voir un peu plus loin, pour vérifier, par exemple, que cette Vénus de Milo dont on dit tant de bien n'a vraiment plus de bras, et peut-être prendront-ils ainsi, par hasard et par inadvertance, le risque d'en tomber amoureux ?

Le pont Royal, et le pavillon de Flore construit en 1594 par Henri IV, à l'angle du Louvre et du château des Tuileries (incendié en 1871).

Le quai Malaquais et l'Ecole nationale des [illegible]

Le pont du Carrousel et le quai Voltaire. Le grand écrivain y mourut, en 1778, au n° 27, dans l'hôtel du Marquis de Villette.

MICHEL SEGOURA
EMBDEN
ALERIE CHEVALIER

Le musée d'Orsay

1900 a eu ses ors et ses lustres, ses ferronneries et ses verrières, ses trouvailles et ses “pâtisseries”.
Remonter — ou redescendre — la Seine n'empêche pas, entre Concorde et Carrousel, face au pont-Royal, aux Tuileries des princes et des révolutionnaires, de contempler avec curiosité et pourquoi pas avec admiration la longue façade du palais d'Orsay. Gare d'Orsay pendant longtemps puis théâtre d'Orsay pour abriter la compagnie Renaud-Barrault, en même temps salle des ventes, après avoir été hôtel, fameux depuis que De Gaulle y annonça le 9 mai 1958 son retour aux affaires, le palais en mutation trouva après bien des errances, sa vocation finale : musée du XIXe siècle.

Il aurait pu exister depuis longtemps si on avait écouté la boutade prémonitoire du peintre Louis Detaille, en mai 1900 : “La gare est superbe et a l'air d'un palais des Beaux-Arts ; le palais des Beaux-Arts ressemble à une gare, je propose à Laloux de faire l'échange s'il en est encore temps.” Victor Laloux (qui n'écouta pas le conseil !) était l'architecte qui mit deux ans à construire le bâtiment et ses impressionnantes verrières, sur des quais de Seine qui paraissaient, depuis des siècles, étrangement maudits. Au XVIIe siècle, nul n'osait s'y aventurer jusqu'au jour où Charles Boucher d'Orsay, prévôt des marchands de Paris, y fit bâtir un quai en pierre de taille pour accueillir des chantiers de bois flotté ou y remiser les coches de la cour. Après la Révolution, le quai est désaffecté, transformé en réserve de cavalerie, et l'architecte Bonnard décide d'y bâtir le Ministère des Affaires Etrangères. Il le fit, c'est celui du Commerce qui s'y installa, et pour peu de temps : la Commune le transforma en tas de cendres, les ronces et les rats y firent leur domaine, jusqu'à ce que Laloux y bâtisse en un temps record pour ne pas manquer l'Exposition Universelle de 1900, la structure d'aujourd'hui. Quand la gare ferma ses portes, il ne fallut pas moins de treize projets d'aménagement pour parvenir à la réalisation d'aujourd'hui : un musée “total” regroupant, de 1848 à 1914, tous les arts : peinture, sculpture, architecture, photographie, cinéma ou monuments sociaux.

Le pont Royal et, sur le quai Anatole-France, le musée d'Orsay et la Caisse des Dépôts et Consignations.

Tous les trois nés en 1878, ils montent la garde sur le parvis du musée d'Orsay : "Le cheval à la herse" de Rouillard, "Le rhinocéros" de Jacquemart, et "Le jeune éléphant pris au piège" de Frémiet.

La Légion d'Honneur

Autrefois, c'était un lieu-dit qui s'appelait "La Grenouillère", et qui avait la réputation justifiée d'être un des plus charmants et des plus champêtres sites de Paris. La Seine, un chemin de halage, une nature foisonnante et verdoyante, face aux Tuileries et au Louvre, le palais des rois, il y avait là de quoi faire rêver plus d'un prince. C'est un Allemand, Frédéric III de Salm-Kyrbourg, qui décida d'y faire construire son hôtel dont il confia la réalisation au brillant architecte Pierre Rousseau.

En 1788, après les années de travaux, l'hôtel était achevé, et le prince totalement ruiné. Il avait néanmoins un des plus beaux et des plus célèbres hôtels de Paris, où il tenta d'oublier ses ennuis financiers en donnant des fêtes fastueuses avec son grand ami le général de Beauharnais. Mais l'impitoyable Révolution ne se laissa pas entraîner dans les plaisirs de l'hôtel de Salm et, non contente de le confisquer à son propriétaire pour éponger ses dettes, elle acheva son œuvre en lui coupant la tête. Pauvre prince, qui avait le goût du luxe et de la beauté ! Madame de Staël vécut là quelque temps, puis l'histoire oublia ses occupants jusqu'en 1804 où Joséphine (ex de Beauharnais), se souvint de l'hôtel de Salm et demanda à l'Empereur d'y installer la Grande Chancellerie de la Légion d'Honneur, créée deux ans auparavant. Mais la Commune, qui visiblement n'aimait pas ces quartiers aux fastes trop ostentatoires ou officiels, y mit le feu en 1871.

Il fallut que les membres de l'Ordre se cotisent, quelques années plus tard, et réunissent un million de francs pour qu'on puisse le reconstruire à l'identique. Aujourd'hui, l'hôtel de Salm fait le bonheur de tous les fervents d'uniformes, de gloire militaire et de décorations.
On y trouve tous les grands ordres du monde entier et de tous les temps.
Et derrière l'Aigle impérial, peut-être y croise-t-on la silhouette nerveuse du Premier Consul, ou le nouvel Empereur remettant solennellement les insignes de l'Ordre au

L'hôtel de Salm devient Palais de la Légion d'Honneur en 1804. Brûlé pendant la Commune, reconstruit à l'identique en 1878. Au fond, les flèches de Sainte-Clotilde.

Le pont de la Concorde, commencé par Perronet en 1787, fut terminé avec des pierres de la Bastille, et sa largeur fut doublée en 1932. Au fond, la Chambre des Députés.

L'Assemblée Nationale. Construit pour la duchesse de Bourbon en 1722, le palais reçoit une salle des séances à la Révolution et sa nouvelle façade en 1807, commandée par Napoléon Ier à Poyet.

Les frondaisons des Tuileries et les immeubles de la rue de Rivoli. Au second plan, les dômes de l'église polonaise et de l'église Saint-Augustin, construite par Baltard en 1860, et le toit de l'église de la Madeleine.

La place de la Concorde fut construite par Gabriel entre 1755 et 1775. Séparés par la rue Royale, l'hôtel de la Marine à droite, l'hôtel de Crillon et l'Automobile Club de France à gauche. Dans l'alignement de l'Obélisque, l'église de la Madeleine, édifiée en 1806.

"Liberté, que de crimes on commet en ton nom"... avec Madame Roland, cette place créée à la gloire d'un Roi Bien-aimé, verra tomber près de 1400 têtes de 1793 à 1795, dont celles de la Reine Marie-Antoinette et du Roi Louis XVI.

Sur la place de la Concorde, l'Hôtel de Crillon, prestigieux palace de Paris, porte le nom d'un compagnon d'Henri IV, Louis Balbis de Berton, seigneur de Crillon.

Le dôme et les verrières massives du Grand Palais, construit pour l'Exposition Universelle de 1900, entre le cours la Reine et les Champs-Elysées.

Tous les chemins d'eau mènent à Paris. Sur ses quais font halte barges, voiliers et quelquefois, jonques venues de la mer de Chine.

Du cours la Reine à Notre-Dame, la grande boucle de la Seine.

Le pont Alexandre III, construit lors de l'Exposition Universelle de 1900, ouvre largement sur l'esplanade et l'hôtel des Invalides. Au fond, la tour Montparnasse.

Les tours du pont Alexandre III, en hommage au tsar de toutes les Russies. Au fond, les Invalides

MUSEE
DU
PETIT PALAIS

Vue depuis le Grand Palais sur le pont de la Concorde, la passerelle de Solférino et le pont Royal.
A gauche, le pavillon de Flore du Louvre.

L'hôtel des Invalides, édifié en 1671, et le dôme de Jules Hardouin-Mansart. Au premier plan, l'un des quadriges d'angle du Grand Palais.

Les grands embarcadères des bateaux-mouches, au pont de l'Alma

La Seine, avenue de New-York, ainsi nommée en l'honneur des Etats-Unis après la libération de la France.

La Tour Eiffel

La demoiselle de fer qui n'était là que pour quelques semaines, en ce printemps de l'exposition de 1889, a fêté son centenaire. Dépoussiérée, remaquillée, rajeunie d'année en année, elle a supplanté haut la main toutes ses rivales qui avant elle, étaient l'image de Paris. Depuis plus d'un siècle, elle fait les beaux jours de presque cinq millions de touristes qui viennent chaque année lui rendre hommage. Et si, un jour de cauchemar, ils ne la trouvaient plus à sa place, ils repartiraient désolés, et convaincus de l'inconcevable : Paris ne serait plus Paris.

Pourtant, c'est quand un certain ingénieur nommé Gustave Eiffel remporta, le 12 juin 1886, le premier prix au concours des œuvres proposées pour symboliser l'Exposition Universelle prochaine, que Paris faillit ne plus être Paris. Devant cet enchevêtrement incroyable de poutres, poutrelles, pylones et boulons de fer qui devait s'élever jusqu'à trois cents mètres du sol à partir d'une base de cent vingt-cinq mètres de côté, en plein Champ-de-Mars, un gigantesque concert de protestations s'éleva. En tête des furieux, les plus grands noms de l'époque : Gounod, Maupassant, Alexandre Dumas, François Coppée : “Quelle est cette horreur que les Français ont trouvée pour donner une idée de leur goût si vanté ?... une tour vertigineusement ridicule, dominant Paris ainsi qu'une noire et gigantesque cheminée d'usine.” La “pyramide insensée” de plus de sept mille tonnes fut pourtant prête à l'heure dite, après trois ans de travaux incroyablement minutieux. Si Verlaine, dans ses promenades parisiennes, s'appliquait à faire un détour pour ne pas la voir, les visiteurs de l'Exposition Universelle vinrent en masse applaudir sa silhouette, et l'incroyable défi technique qu'elle représentait. Un plébiscite enthousiaste et inattendu qui, peu à peu, dérida les grincheux et même les poètes. La tour, qui était leur bête noire, devint leur Muse, la “Bergère des nuages” chantée par Apollinaire.

Aujourd'hui, elle est l'image même de Paris, indispensable à sa vie quotidienne. Elevée en hommage à l'essor industriel des années 1900, elle annonce la communication de l'an 2000. A son sommet, plus de cent antennes ou émetteurs en font la plaque tournante de Paris : météo, radio, télévision, police... sans elle, que deviendrait-on ? Et que deviendraient ses amoureux, venus rêver sur le plus beau balcon de Paris, heureux de faire le tour de Paris en peu de pas, de deviner la Brie, la forêt de Compiègne ou celle de Fontainebleau ? Aussi vrai que Paris sera toujours Paris, la tour Eiffel sera toujours à sa place.

Trois témoins du Paris moderne : les statues du palais de Chaillot, 1937, la tour Eiffel, 1889, et la tour Montparnasse, 1973.

Place du Trocadéro, dans une lumière diffuse, la statue du Maréchal Foch regarde, au-delà de la Seine, vers la tour Eiffel.

Les bassins du palais de Chaillot et la tour Eiffel au petit matin.

Le Champ-de-Mars vit passer toutes les fêtes et toutes les expositions, jusqu'à celle de 1889, qui lui laissa en souvenir la tour Eiffel.

L'Ecole Militaire, édifiée par Gabriel en 1769, abrite aujourd'hui l'Institut des Hautes Etudes de Défense nationale.

Le palais de Tokyo, construit pour l'Exposition Universelle de 1937, abrite le musée d'Art Moderne de la Ville de Paris. Devant, la passerelle Debilly.

Inauguré lors de l'Exposition Universelle de 1937, le palais de Chaillot renferme : le musée de l'Homme, le musée de la Marine, le musée des Monuments Historiques, le théâtre de Chaillot, la Cinémathèque et le musée du Cinéma Henri Langlois.

Les bassins et fontaines du palais de Chaillot.

Page 131. Devant la grande salle du théâtre de Chaillot, les bassins et fontaines du Trocadéro

Franchissant l'espace et le temps, des galions comme le "Belem" surgissent parfois sur la Seine, au pont de Bir-Hakeim, porte du Front de Seine.

A la poursuite du soleil, les villes marchent et construisent vers l'Ouest. Paris ne manque pas à la tradition.

L'ancien pont de Passy, construit en 1878, devint pont de Bir-Hakeim, après les combats français dans le désert de Lybie, durant la Seconde Guerre mondiale.

L'île des Cygnes et la Maison de Radio-France, réalisée par Henry Bernard en 1963. C'est le plus vaste édifice de France : deux hectares.

New-York... New-York, la Liberté y est la même. Cette "petite" Liberté de Bartholdi, est la réplique de la "grande", ouvrant le port de New-York.

Comme d'immenses miroirs pour l'eau de la Seine, l'ensemble du Front de Seine et le nouveau quartier d'habitations, de commerces et de bureaux, de Beaugrenelle.

Figure de proue de la nef parisienne, la Liberté de Bartholdi semble haler, comme sur une avenue d'eau, le Paris moderne vers l'avenir.

Quai André-Citroën, l'immeuble de bureaux "Le Ponant", de l'architecte Cacoub. Au centre, la colonne "Hommage à Ledoux" de Lalanne.

Au fil de chaque page tournée, la beauté de ces images appelle au silence.

L'amour pour Paris nous fait pécher par imprudence. Même les plus grands poètes ont tremblé devant les colères de la Seine, devant les secrets que cachent ses flots changeants. Les romantiques sont loin, qui rêvaient d'un Paris imaginaire, tantôt fou, tantôt froid, mais presque toujours à l'égal des dieux. Les poètes, les conteurs d'aujourd'hui ont besoin de chaleur, de bruit et de fureur, de macadam et de bistrots, de rues étroites et de trottoirs encombrés, d'odeurs de foule et de cafés sur le zinc, d'un Paris canaille plus rassurant que le Paris des princes et des puissants. Pour bien descendre ce fleuve impassible qui s'appelle la Seine, il faut le faire sans guide, et se laisser haler par les photographies du poète de la pellicule qu'est François Bibal, par l'ombre de Paris sur les reflets bleus, noirs, verts ou gris de cette grande avenue d'eau, dont Napoléon III disait qu'elle était comme "une grande rue entre Paris, Rouen et le Havre". La beauté de ces images devrait se passer de tout commentaire. Si j'ai tenté d'en raconter certaines, beaucoup d'autres parlent seules aux yeux et au cœur.

A vous maintenant, amoureux de Paris devenus, de consulter vos livres d'histoire, de remonter les siècles, d'égrener des réminiscences, ou encore... de rêver. Et d'avoir une pensée en passant devant la Conciergerie, pour Marie-Antoinette écrivant sur son livre de prières, quelques heures avant de monter sur l'échafaud : "Je n'ai plus de larmes pour pleurer pour vous, mes pauvres enfants..." A moins qu'au large de l'île de la Cité et de la place Dauphine, vous n'ayez envie de relire André Breton, parlant du "sexe de Paris", après vous être promenés sur le pont de la Concorde, dont les piliers furent bâtis avec les pierres de la Bastille rasée par la Révolution.

Suivre la Seine à Paris, c'est le bonheur de toute une vie. Vous n'en aurez jamais fini, entre l'Obélisque, cette flèche insolente, offerte à Louis-Philippe par l'Egypte, le Front de Seine, petit Manhattan à l'échelle française, les fontaines du Trocadéro, les péniches et les bateaux-mouches, le Paris d'hier, et celui d'aujourd'hui. Un Paris tout entier caressé, éclairé, animé par ce boulevard changeant et inlassablement vivant qu'est la Seine. Verte, bleue ou parfois jaune, exhalant des brumes d'hiver ou scintillant sous la lumière d'été, roulant parfois des écumes tristes

qui portent toutes les scories de la ville, noire et sans fond quand tombe la nuit, illuminée soudain par l'or des réverbères ou la lueur des pierres qui s'y reflètent, devenant alors miroitante, magique, ensorceleuse...

"Paris est un véritable océan, disait Balzac. Il s'y rencontrera toujours un lieu vierge, un antre inconnu, des fleurs, des perles, des monstres, quelque chose d'inouï." Paris peut parfois nous glacer, comme Baudelaire, dont

"L'aurore grelottante en robe rose et verte
s'avançait lentement sur la Seine déserte..."

Il peut aussi nous enchanter, comme Ronsard

"Paris, séjour des rois, dont le front spacieux
Ne voit rien de pareil sous la coulée des cieux"

Il ne peut que nous étreindre le cœur, au point d'en garder, à tout jamais, le besoin absolu ou la nostalgie poignante, celle qui faisait dire à Apollinaire :

"Reverrai-je Paris et sa pâle lumière
Trembler les soirs de brume autour des réverbères
Reverrai-je Paris et les sourires sous les voilettes..."

L'éditeur et le photographe remercient tout particulièrement :

Béatrice Lécuyer, pour sa direction artistique et la création de l'ouvrage.

PRO LIBRIS
Éditions
33, rue de Berne, 75008 Paris
n° d'éditeur 908597

ISBN n° 2-908597-00-4

3e édition - Dépôt légal juillet 1991

Imprimé en Italie
par Amilcare Pizzi - Milan